D1503260

PÈRES

PÈRES

ÉDITIONS AUTREMENT

Père : premier héros de son fils,
premier amour de sa fille.

PROVERBE

Où le père a passé passera bien l'enfant.

Il y a toujours quelque chose de bon,
même chez le pire des pères.

ALESSANDRO BARICCO

C'est peut-être le premier devoir
d'un père de retrouver successivement
son âme de douze, quinze, dix-huit
et vingt-deux ans.

ANDRÉ GIROUX

Le vrai père, c'est celui qui ouvre
les chemins par sa parole,
pas celui qui retient dans les filets
de sa rancœur.

Pour un vieux père,
rien n'est plus doux qu'une fille.

EURIPIDE

Tel père, tel fils :
tout arbre sain fait des fruits sains.

WILLIAM LANGLAND

Un homme n'est jamais aussi grand
que lorsqu'il est à genoux
pour aider son enfant.

PYTHAGORE

Tout homme
peut être père,
mais il faut être quelqu'un
d'extraordinaire
pour être un papa.

PROVERBE

Mon père était un homme étonnant.
Plus je grandissais,
plus il devenait intelligent.

MARK TWAIN

Dans une prochaine vie, papa,
j'aimerais te reprendre comme père.

BERNARD WERBER

Sais-tu qui sont
les mauvais pères ?
Ce sont ceux qui ont oublié
les fautes de leur jeunesse.

DENIS DIDEROT

Aucun de nous ne pourra jamais être
assez fier d'être l'enfant d'un tel père
qui n'a pas son égal dans le monde –
si grand, si bon, si irréprochable.

REINE VICTORIA

Le rêve du héros, c'est d'être grand
partout et petit chez son père.

VICTOR HUGO

Un cœur de père est le chef-d'œuvre
de la nature.

ABBÉ PRÉVOST

Le père d'un homme est son roi.

RABBIN ÉLIÉZER

Les pères nobles ont des enfants nobles.

EURIPIDE

En fin de compte, la vie des pères
ne tient qu'à un fils.

VINCENT ROCA

Les hommes confiants
ont des pères patients.

ROSE O'KELLY

Le plus grand don que j'aie jamais eu
me vient de Dieu... Je l'appelle papa.

ANONYME

Les pères doivent toujours
donner pour être heureux.
Donner toujours,
c'est ce qui fait qu'on est père.

HONORÉ DE BALZAC

Un père a deux vies :
la sienne et celle de son fils.

JULES RENARD

J'associe l'odeur de l'herbe
fraîchement coupée à mon père,
aux jours ensoleillés, au bonheur.

NATASHA BURNS

L'exemple, c'est tout ce qu'un père
peut faire pour ses fils.

THOMAS MANN

Il y a trois étapes dans la vie
d'un homme : il croit au Père Noël,
il ne croit pas au Père Noël,
il est le Père Noël.

BOB PHILLIPS

Celui qui peut être
un bon fils
sera un bon père.

PROVERBE CHINOIS

Il était son dieu,
le centre de son petit monde.

MARGARET MITCHELL

Le meilleur père
est le plus doux des amis.

LUCY ROBINSON

Il n'y a d'amour
que du père.

Un homme sait qu'il vieillit
quand il commence à ressembler
à son père.

GABRIEL GARCÍA MÁRQUEZ

Il n'y a pas de loi plus belle
que d'obéir à son père.

SOPHOCLE

Les filles ne peuvent jamais
prendre trop soin de leur père.

PLAUTE

Les petits garçons deviennent
de grands hommes grâce
à l'influence de grands hommes
prenant soin de petits garçons.

ANONYME

Sage est le père
qui connaît son enfant.

WILLIAM SHAKESPEARE

Ô mon fils, sois un jour
plus heureux que ton père !
Quant au reste, avec honneur
tu peux lui ressembler.

SOPHOCLE

Celui qui honore son père
aura une longue vie.

LA BIBLE

Mon père, ce héros
au regard si doux...

VICTOR HUGO

Un roi, réalisant son incompétence,
peut soit déléguer, soit abdiquer.
Un père ne peut ni l'un ni l'autre.

MARLÈNE DIETRICH

La mère aime tendrement,
le père solidement.

PROVERBE ITALIEN

À quoi sert la vie si les enfants
n'en font pas plus que leurs pères ?

GUSTAVE COURBET

Ô père de famille,
ô poète, je t'aime !

ÉMILE AUGIER

C'est doux de sentir quelqu'un qui est
plus haut, qui peut être un protecteur,
qui nous est supérieur par l'âge,
la raison, la responsabilité.

JULES RENARD

Un père n'est pas là pour fournir des
réponses, mais pour montrer l'exemple.
Les fils, il ne faut surtout pas
les rassurer : il s'agit de les inspirer.

ÉRIC NEUHOFF

On choisit plus souvent
son père qu'on ne le pense.

MARGUERITE YOURCENAR

Il est admirable pour un père
d'emmener son fils à la pêche,
mais il existe une place particulière
au paradis pour le père qui emmène
 sa fille faire les boutiques.

JOHN SINOR

La pire colère
d'un père contre son fils
est plus tendre
que le plus tendre amour
d'un fils pour son père.

HENRY DE MONTHERLANT

95

Un vrai homme est son propre père.

JEAN ANOUILH

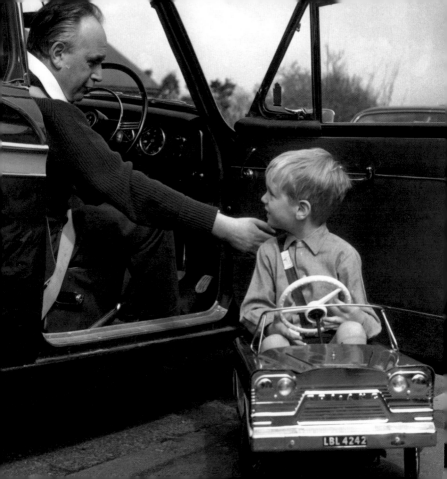

Ah, mon fils ! que la tendresse
d'un père est si aisément rappelée...

MOLIÈRE

Tous les pères sont les mêmes !
Vient toujours un moment où
ils ne voudraient pas être regardés
par leurs fils avec les yeux
qu'ils leur ont faits.

CARLO COLLODI

Mon père était John Wayne,
Superman, Batman ;
il était mon héros.

ANNA CARR

Celui qui est père tombe en enfance
en raison de contacts trop fréquents
avec des mouflets.

KAZIMIERZ BRANDYS

Le secret pour être
un bon père est simple :
écoutez toujours vos enfants.

STEVEN SPIELBERG

Mon père est encore un papa :
c'est-à-dire, il me protège.

RAPHAËLLE BILLETDOUX

CRÉDITS PHOTOGRAPHIQUES

Toutes les images appartiennent aux archives photographiques Hulton Getty sauf mention contraire.

Première publication en langue anglaise
sous le titre *Dads*
© 2003 MQ Publications Limited, Londres.
ISBN de la version originale : 1-84072-477-3

Maquette de couverture : Kamy Pakdel
Design : Philippa Jarvis
Recherche des citations françaises :
Delphine Bauzin

© 2004 Éditions Autrement
pour la présente édition,
77, rue du Faubourg-Saint-Antoine,
75011 Paris.
Tél. : 01 44 73 80 00. Fax : 01 44 73 00 12
ISBN : 2-7467-0565-6
Dépôt légal : octobre 2004

Photocomposition : Nord Compo
Imprimé et relié en Chine